Raphaëlle Aubert

D1296657

ABC
DE
PARIS

Découvrir la capitale
est un jeu d'enfant

PARIGRAMME

A
B
C
D
E
F
G
H
I
J
K
L
M
N
O
P
Q
R
S
T
U
V
W
X
Y
Z

« Paris n'est pas une ville, c'est un pays. »
Ce n'est pas moi qui le dis... mais François Ier !
Tu me trouveras sur chaque page ; je suis là
pour t'expliquer les jeux. Pour une fois,
tu vas pouvoir écrire dans un livre.

Pour que ce soit plus facile, je vais me faire tout petit !

Arc de Triomphe

Napoléon ne me verra jamais terminé... car les travaux ont duré 30 ans. L'Empereur voulait un arc pour fêter les triomphes de sa Grande Armée. Il a aussi construit l'Arc du Carrousel, mais celui-là est tout petit à côté de moi ! Nous sommes tous les deux alignés, même si 4 kilomètres nous séparent.

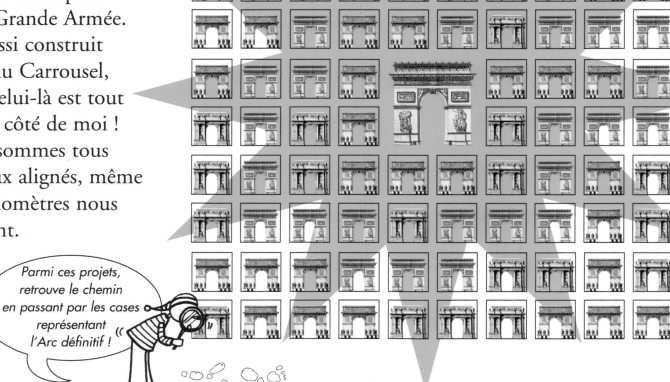

Parmi ces projets, retrouve le chemin en passant par les cases représentant l'Arc définitif !

Un livre officiel !
Les noms des 664 officiers de Napoléon sont gravés sous ma voûte.

Place de l'Étoile ?
Des pavés rouges et gris dessinent une étoile à 12 branches sur le sol. Je suis au centre.

Colorie l'Arc avec les couleurs des billes !

Un soldat inconnu
est enterré sous l'Arc, en souvenir de tous les morts de la guerre de 1914-1918. La flamme sur sa tombe n'est jamais éteinte.

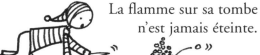

L'escalator transporte 25 000 visiteurs par jour !

Dehors, il n'y a pas de murs. Tout est en verre.

Dedans, tu peux voir 1 400 œuvres du XXe siècle. Peut-être y seras-tu exposé un jour ?

Des cheminées de bateau ? Il faut aussi de l'air au sous-sol.

L'architecte qui m'a construit s'appelle Renzo Piano. Il est italien.

Beaubourg

Je suis le plus grand musée d'art moderne du monde après celui de New York. Mais pourquoi tous ces tuyaux ? L'architecte les a placés dehors pour avoir plus de place à l'intérieur. Il les a mis en couleurs pour qu'on sache à quoi ils servent !

Les couleurs des tuyaux

L'air conditionné

L'électricité

La circulation

Les fluides

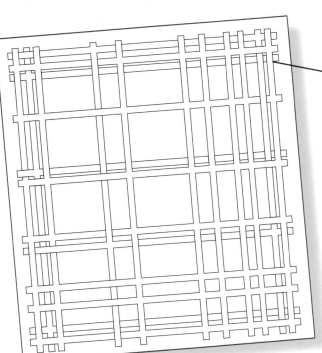

Un quadrillage de rues ?
C'est New York !
À ton avis, ce tracé ressemble-t-il au plan de Paris ? Ce tableau de Mondrian est exposé au 5e étage.

C'est toi l'artiste moderne ! À tes crayons...

C

Colonne

Je domine la place Vendôme.
La statue de Louis XIV se trouvait à ma place, mais la Révolution l'a mise par terre ! C'est Napoléon Ier qui m'a installée là. On m'a fabriquée avec le métal fondu des canons ennemis et on a placé la statue de l'Empereur sur ma tête. La coiffure de Bonaparte va changer tout le temps ! Il portera d'abord une couronne de César, puis un bicorne, puis un bonnet... et pour finir, il sera nue-tête !

Je suis toujours au centre d'une place. Elle est souvent royale car la statue du roi trône sur ma tête ! Les hommes me couvrent d'inscriptions ou me coiffent d'une drôle de façon. On raconte aussi beaucoup d'histoires à mon sujet !

Retrouve à qui appartiennent les inscriptions.

1

2

3

4

Je suis le génie de la Bastille.
À la place de la colonne de Juillet, Napoléon Ier voulait installer une drôle de fontaine ayant la forme d'un énorme éléphant. Sa maquette est restée 34 ans en place ! Mon socle était d'ailleurs prévu pour accueillir le pachyderme. À mon sommet le petit homme doré est le génie. Il a brisé ses chaînes pour s'envoler vers la liberté !

Je suis l'obélisque de la Concorde.
La place s'est appelée Louis-XV avant de devenir place de la Révolution où 1 100 têtes finiront coupées. J'ai été offert aux Français par l'Égypte. Mon transport a été long et difficile car je suis très fragile : j'ai 3 000 ans ! Le récit de mon voyage a été dessiné sur mon socle en faux hiéroglyphes.

Je suis la colonne Morris.
J'ai un bulbe sur la tête et suis l'ancêtre du mobilier publicitaire. Nous sommes 790 à annoncer les spectacles de Paris.

On retrouve cette affiche quelque part dans le livre. Où est-elle ?

Défilé

Il y a ceux qui se font à pied ou à cheval. Certains se déroulent dans une belle pagaille, d'autres alignent des rangs impeccables. En avant marche !

☐ **Je défile 1 fois par an**
pour la fête nationale.

☐ **Moi, c'est 2 fois,**
car il y a seulement 2 saisons !

☐ **Et moi 4 fois par jour !**
Dès que les gens sont en colère, ils descendent dans la rue !

☐ **Pour moi c'est exceptionnel !**
Dès que les gens sont heureux… mais c'est plutôt rare !

☐ **Quant à moi c'est la routine,**
car c'est mon métier.

Je pars de la Bastille vers la République. Le peuple manifestait déjà en 1789.

1. Défilé de manifestants

J'arrive au palais de l'Élysée, avec le président de la République. J'assure sa sécurité.

2. Défilé de la Garde républicaine

J'explose de joie sur les Champs-Élysées, quand la France gagne la Coupe du monde !

3. Défilé de Parisiens

Avec les indices, trouve la bonne réponse.

4. Défilé militaire

**Je descends
les Champs-Élysées !**
Tous les 14 Juillet, je pars
de l'Arc de Triomphe pour
faire 1,88 km à pied.

**Tu peux venir voir,
si tu veux...**
mais aussi me
suivre à la télé.

**Je suis aussi
dans la rue !**
Les Parisiennes
ont toujours été
très élégantes.

Retrouve ce garde
républicain sur
une autre page.

5. Défilé de mode

**Je descends dans le
Carrousel du Louvre !**
Comme c'est chic d'être là ! Tout
le monde n'est pas invité. Je présente
les collections d'été et d'hiver.

Eiffel

Gustave Eiffel m'a inventée et construite pour l'Exposition universelle de 1889. Avec son équipe, cet ingénieur déjà très célèbre pour ses constructions en métal, a fait plus de 1 700 dessins pour me créer. Le fer, bien plus léger que la pierre, permet d'atteindre des sommets records. À l'époque de ma construction, je suis le monument le plus haut du monde ! Eiffel m'a bâtie avec son argent et m'a sauvée de la démolition. Aurait-il imaginé qu'un jour je deviendrais le symbole de la France ?

À toi de mettre la dame de fer en couleurs !

Ma cousine américaine...
Eiffel a aussi conçu le squelette de la statue de la Liberté qu'il a fabriqué à Paris ! Puis « Lady Liberty » est partie en bateau pour New York.

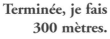

Et le Bon Marché est mon cousin !
Eiffel a dessiné sa charpente métallique.

Terminée, je fais 300 mètres.
Aujourd'hui, j'ai gagné 24 mètres car on m'a ajouté 110 antennes sur la tête !

Paroles d'Eiffel :
« Je devrais être jaloux de la tour, elle est plus célèbre que moi. »

Tout en haut, je me balance !
Si le vent souffle fort, mon sommet peut bouger de 7 centimètres.

Certains m'admirent, d'autres me détestent !
On m'a traitée de chandelier, de squelette disgracieux et même de suppositoire !

Feu rouge

Je suis partout au croisement des rues. La plus petite n'a pas besoin de moi car elle fait 5 mètres de long et c'est un escalier. Pour les autres, j'aide les piétons et j'évite les bouchons. Ce n'est pas si facile car 3 millions de voitures circulent chaque jour. Ce que je déteste le plus, c'est qu'on me brûle !

Retrouve le moyen de transport des 3 piétons.

J'aurais dû prendre le métro !

Il y a 3 700 voies en sens unique dans Paris !

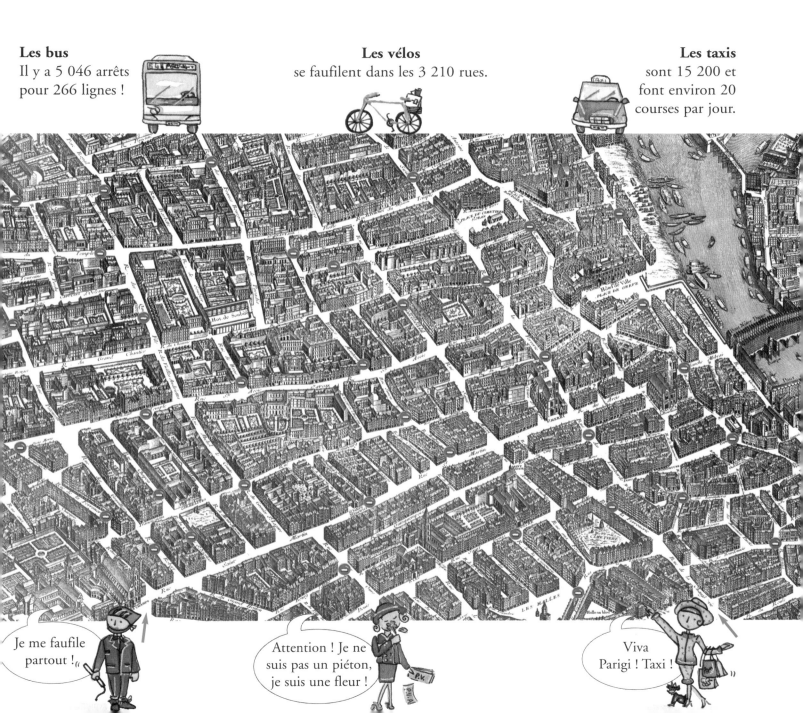

Les bus
Il y a 5 046 arrêts
pour 266 lignes !

Les vélos
se faufilent dans les 3 210 rues.

Les taxis
sont 15 200 et
font environ 20
courses par jour.

Je me faufile
partout !

Attention ! Je ne
suis pas un piéton,
je suis une fleur !

Viva
Parigi ! Taxi !

Une seule boutique vendait du chocolat, c'était celle de Monsieur Chaillou. Il était le seul autorisé à en vendre dans toute la France ! Heureusement, c'était il y a 338 ans.

Retrouve les 5 éléments communs aux 2 tableaux.

Le dessert préféré de Louis XIV : les mandarines que l'on achetait sur le Pont-Neuf.

Goûter

Il est 4 heures et demie. Quelle belle vitrine ! C'est à Paris que l'on a goûté pour la première fois au chocolat. Ensuite, les recettes se sont multipliées. Un pâtissier a inventé un biscuit qui ressemble à la scène de l'Opéra. Un autre a créé un chou troué au milieu, qui fait penser à une roue de bicyclette : il regardait la course de Paris-Brest… Moi, je rêve d'une glace avec 72 boules ! C'est le nombre de parfums que propose un glacier parisien.

Hôtel

Nous portons le même nom et pourtant, nous sommes tous différents. Chacun raconte sa petite histoire.

☐ **Un bonsaï dans un palace**
Il appartenait à une célèbre couturière. Il est toujours là !

☐ **Une adresse prestigieuse**
Je suis une grande maison de ville où loge le 1er ministre.

☐ **Une mairie très célèbre**
Je me trouve près de la Seine.

☐ **Un hôpital pour invalides**
Louis XIV m'a construit pour soigner ses soldats blessés.

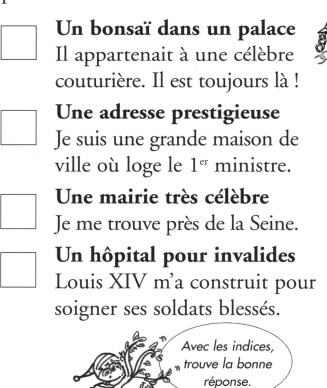

Avec les indices, trouve la bonne réponse.

Mon dôme recouvert de 12 kilos d'or brille comme le soleil !

1. Hôtel des Invalides

Coco Chanel y vivait en permanence. Sa « maison » est pourtant à côté !

2. Hôtel Ritz

Le drapeau flotte sur mon toit car je suis une maison officielle.

3. Hôtel Matignon

Histoire de drapeau
Les couleurs de Paris
sont le bleu et le rouge.
Celle du roi était le blanc.
Durant la Révolution,
on rapprocha les 3 couleurs
et on obtint le fameux
drapeau…

H

**Chut ! Le maire
de Paris travaille…**
Il organise tout, depuis
l'école jusqu'au ramassage
des ordures. Comme
le protocole l'oblige
aussi à recevoir les chefs
d'État de passage
à Paris, son agenda
est bien rempli !

4. Hôtel de Ville

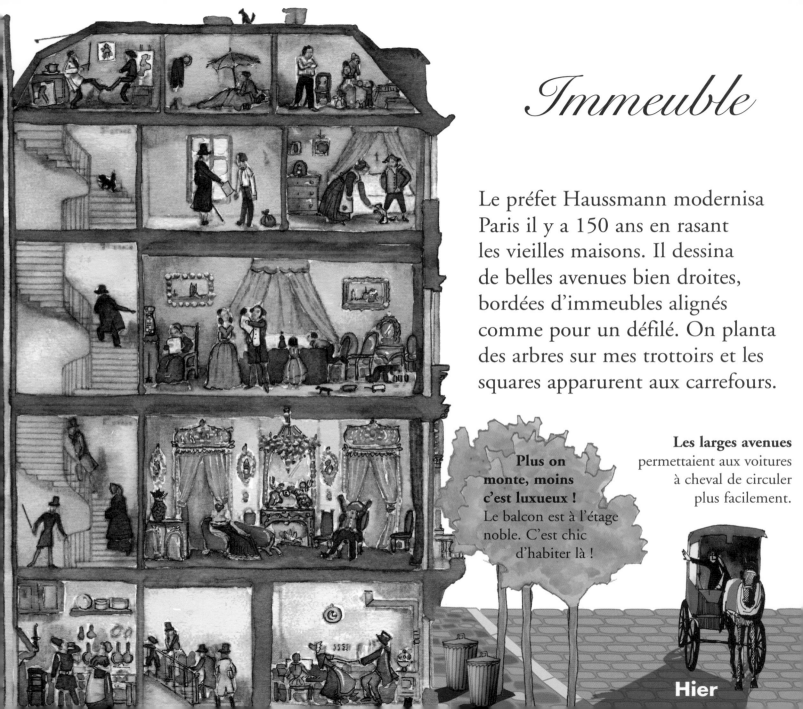

Immeuble

Le préfet Haussmann modernisa Paris il y a 150 ans en rasant les vieilles maisons. Il dessina de belles avenues bien droites, bordées d'immeubles alignés comme pour un défilé. On planta des arbres sur mes trottoirs et les squares apparurent aux carrefours.

Plus on monte, moins c'est luxueux ! Le balcon est à l'étage noble. C'est chic d'habiter là !

Les larges avenues permettaient aux voitures à cheval de circuler plus facilement.

Hier

La pierre-de-taille est remplacée plus tard, par du fer ou du verre... On utilise des matériaux moins chers et on bâtit plus vite !

Les balcons sont alignés entre 2 immeubles pour créer la perspective.

Maintenant, on élargit les trottoirs pour réduire le nombre d'automobiles.

Plus on monte, plus c'est luxueux ! Avec l'ascenseur, on est moins fatigué. Et là-haut il y a plus de lumière et moins de bruit.

Trouve les 7 points communs entre hier et aujourd'hui.

Aujourd'hui

Ce qui a changé : maintenant, il y a une salle de bain et des toilettes !

L'ascenseur a 120 ans.

Ce qui n'a pas bougé : le miroir, la cheminée et le parquet.

Jardin

Au Moyen Âge, je n'existe pas car la campagne est toute proche. Une seule personne a le privilège de profiter de mes fleurs... c'est le roi ! Je fais partie de son palais. Puis, la ville s'agrandit avec ses immeubles et ses trottoirs. Même si les avenues sont bordées d'arbres, le Parisien manque d'air. Alors, on plante et je deviens à la mode grâce aux Parisiennes qui se promènent dans mes allées.

Retrouve la sortie du jardin du Luxembourg.

J

1. Jardins du Palais-Royal

2. Jardin des plantes

3. Jardin du Luxembourg

4. Parc André-Citroën

5. Jardin des Tuileries

6. Parc des Buttes-Chaumont

À toi de trouver les bonnes » réponses...

☐ **Je suis une ancienne fabrique de tuiles,** comme mon nom l'indique.

☐ **Je suis royal.** Enfant, Louis XIV venait chasser le renard chez moi.

☐ **Mes plantes portent toutes des étiquettes** car je les collectionne. J'ai même un arbre vieux de 368 ans !

☐ **Chez moi, tout est faux !** Avec de la dynamite, on a même creusé un lac.

☐ **J'ai mis les voitures dehors...** Avant moi, il y avait une usine.

☐ **J'entends... « Bzz Bzz ».** 710 pommiers et poiriers nourrissent mes abeilles.

Kilomètre

On m'appelle le kilomètre zéro. Je suis une étoile gravée sur le sol devant Notre-Dame. Depuis le Moyen Âge, on calcule les distances entre Paris et les autres villes à partir de mon centre. 1 kilomètre à pied, ça use, ça use...

La Seine a...

km

Les égouts ont...

km

Radio France a...

km

Pour avoir une idée des distances, regarde celle-ci !

Londres
Bruxelles
La Manche
Paris
Tours
Genève
Bordeaux
Monaco
2 100 km
mer Méditerrannée
Madrid
Lisbonne

En suivant le chemin, tu trouveras la solution.

5

1

de couloirs
recouverts de moquette.

2 100

2

de tuyaux
habités par les rats.

Les rues ont...

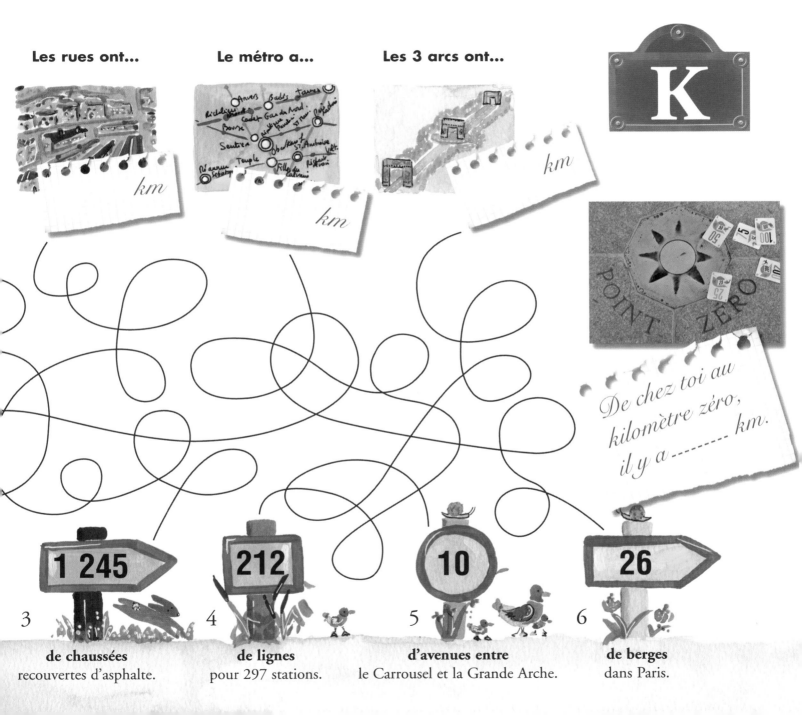

km

Le métro a...

km

Les 3 arcs ont...

km

K

POINT ZÉRO

De chez toi au kilomètre zéro, il y a _____ km.

1 245

3
de chaussées
recouvertes d'asphalte.

212

4
de lignes
pour 297 stations.

10

5
d'avenues entre
le Carrousel et la Grande Arche.

26

6
de berges
dans Paris.

Louvre

Tu sais déjà que je suis le musée le plus grand du monde. Avant d'en arriver là, j'ai été le palais des rois de France.
Ma première pierre a été posée il y a 800 ans. Depuis, c'est un chantier permanent car chaque souverain veut laisser sa marque. Je suis un vrai livre d'histoire !

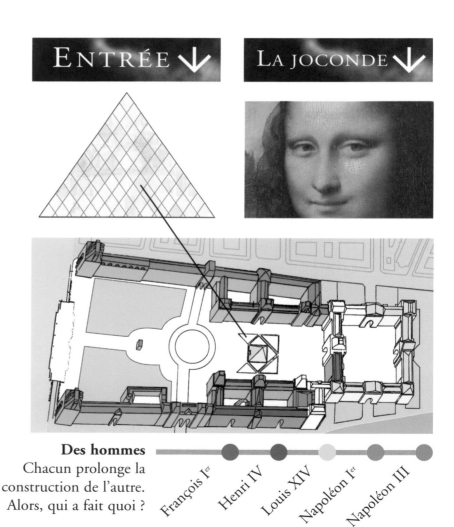

ENTRÉE ⬇   LA JOCONDE ⬇

Des hommes
Chacun prolonge la construction de l'autre. Alors, qui a fait quoi ?

François Ier Henri IV   Louis XIV   Napoléon Ier Napoléon III

Il y a 16 lignes de métro — pour 212 kilomètres, — pour 297 stations, — pour 3 569 voitures, — qui transportent chaque année, — un milliard de voyageurs !

PYRAMIDES

Métropolitain

Je ne suis pas le plus grand ni le plus vieux du monde. J'ai pourtant 104 ans ! Je suis un train électrique qui roule sous la terre. Le nom de mon inventeur est caché dans la phrase qui suit...
Alors, Bienvenüe sur mon réseau !

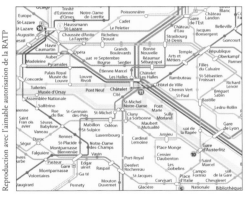

RATP

DIRECTION ↑

Sortie →

Une femme ?
C'est le profil de son visage qui dessine la Seine !

2 410 fenêtres... et combien de trésors ?
J'abrite des tableaux, des sculptures et beaucoup d'antiquités !

Merci Henri IV !
Grâce à lui, les artistes ont habité mon rez-de-chaussée, car ils travaillaient pour lui. Ils ont déménagé quand Napoléon Ier m'a transformé en musée.

Que faire ? Les avenues étaient bouchées.
On ne circulait plus et on manquait de place ! Monsieur Bienvenüe trouva la solution. Il décida de m'enterrer... Merci Fulgence !

Pour 1 Parisien,
il y a 3 rats qui vivent à Paris ! **Il y a donc... 6 450 000 rats** dans la capitale !

Ma plus vieille ligne date de 1900 !
Les wagons étaient en bois et on avait le choix entre la 1ère et la 2e classe. Elle dessert les Champs-Élysées.

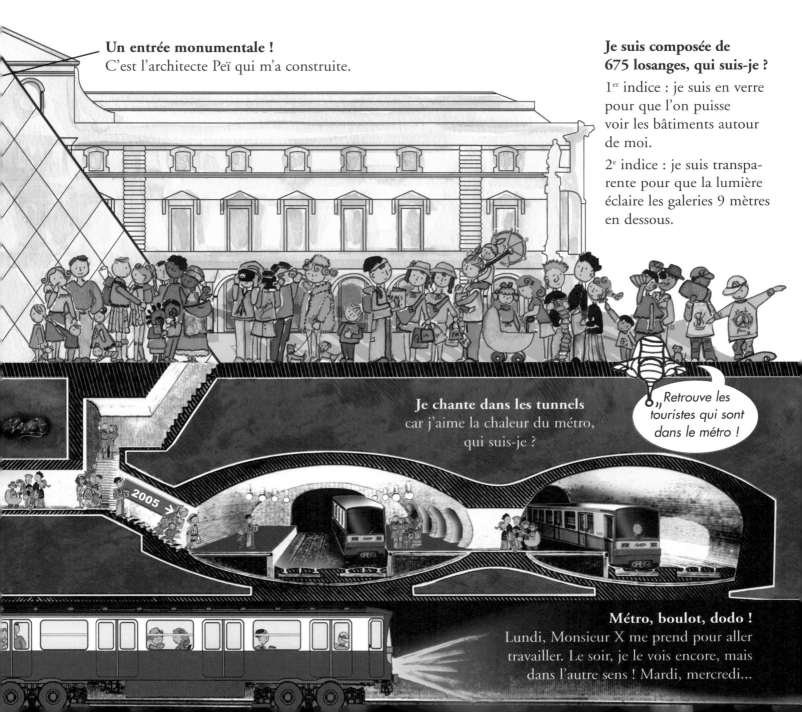

Un entrée monumentale !
C'est l'architecte Peï qui m'a construite.

Je suis composée de 675 losanges, qui suis-je ?

1ᵉʳ indice : je suis en verre pour que l'on puisse voir les bâtiments autour de moi.

2ᵉ indice : je suis transparente pour que la lumière éclaire les galeries 9 mètres en dessous.

Je chante dans les tunnels car j'aime la chaleur du métro, qui suis-je ?

Retrouve les touristes qui sont dans le métro !

2005

Métro, boulot, dodo !
Lundi, Monsieur X me prend pour aller travailler. Le soir, je le vois encore, mais dans l'autre sens ! Mardi, mercredi...

Notre-Dame

Quel chantier !
Il aura duré 170 ans.
Les pauvres grimpent
sur les échafaudages
tandis que les riches
offrent de l'argent
pour ma construction.
Plus tard, ma grande
rose illumine la
cérémonie du sacre
de Napoléon Ier. J'ai
traversé tant d'époques :
j'ai plus de 800 ans...
et je suis toujours là !

Une « forêt » dans le ciel ?
On surnomme ma charpente
« la forêt » car elle est construite
avec 1 300 chênes !

Modeste Eugène...
Quand Viollet-le-Duc me
restaura, il mit sa propre
statue en haut de la flèche et au
milieu de la galerie des rois !

Trouve les
7 erreurs et mets de
la couleur !

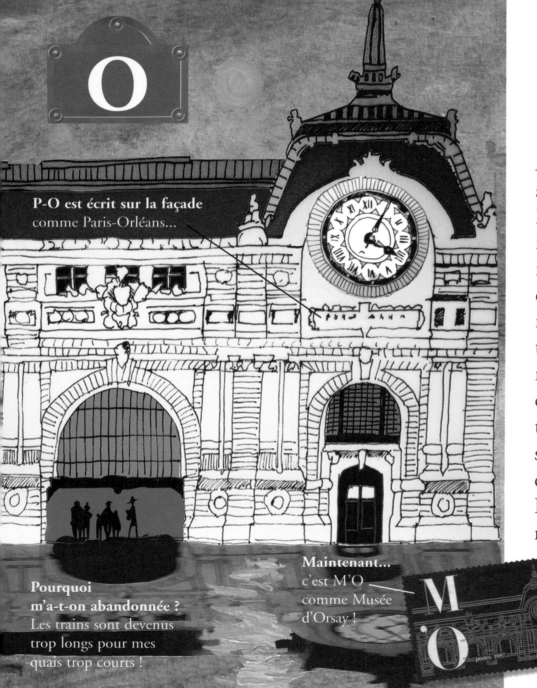

P-O est écrit sur la façade comme Paris-Orléans...

Pourquoi m'a-t-on abandonnée ? Les trains sont devenus trop longs pour mes quais trop courts !

Maintenant... c'est M'O comme Musée d'Orsay !

M'O RÉPUBLIQUE FRANÇAISE postes 1987

Orsay

Après avoir été une gare je suis devenue un musée. Ma collection de tableaux impressionnistes est la plus riche du monde ! Pourquoi ces peintres portent-ils ce nom ? Parce qu'ils ont voulu traduire l'impression d'un moment bien particulier comme le passage d'un train par exemple. La fumée s'échappe de la locomotive et s'étale sur toute la toile. La plupart sont amis. Ils se retrouvent souvent à Paris, dans les ateliers et chacun discute de sa dernière toile.

Manet **Bazille** **Renoir** **Monet**

Retrouve le chemin en passant par la bande des 4 copains.

Pont

En pierre, en bois, en fer...
nous sommes 36 à traverser
la Seine. Chacun a son histoire.

☐ **Je suis le plus vieux,**
même si mon nom dit
le contraire !

☐ **Ah... mon pauvre dos !**
Je porte 2 étages.

☐ **Je suis en fer**
comme la tour Eiffel.

☐ **J'ai un zouave à mes
pieds.** Si ses mollets
sont mouillés, la naviga-
tion est interdite.

☐ **Je suis le dernier-né**
et mon dos ressemble
à une aile d'avion.

☐ **Je suis le plus décoré...**
et le plus beau !

1. Pont Charles-de-Gaulle

2. Pont des Arts

3. Pont Alexandre-III

4. Pont de Bir-Hakeim

5. Pont de l'Alma

6. Pont-Neuf

P

Avant, il y avait des maisons, mais c'était tellement lourd que je m'effondrais.

À toi de trouver les bonnes réponses.

Sur le pont au Change, Napoléon III a laissé sa marque.

Les boîtes des bouquinistes doivent être vertes. C'est le règlement !

Si j'étais... *un fruit*

Si j'étais... *un écrivain*

Si j'étais... *un animal*

En te promenant, tu as dû remarquer des boîtes posées sur mon parapet. Elles sont remplies de vieux bouquins et appartiennent aux bouquinistes depuis 400 ans ! Ils se sont installés là car ils n'avaient pas assez d'argent pour ouvrir une librairie. En face, mon voisin accueille les marchands de fleurs et d'animaux. Tu vois, tu peux même entendre le cri du coq à Paris !

Quai

1

Le pigeon parisien est partout !

L'hiver arrive... et les braseros s'allument !

1. _____

2. _____

3. _____

4. _____

L'Opéra

La scène est aussi
haute qu'un immeuble
de 11 étages !

Retrouve
les paires de bonbons.
Il y a un intrus, lequel ?

Rébus
Une seule avenue n'a pas
d'arbres à Paris, laquelle ?

P

Les monuments
construits avant Haussmann :

A ------------------------------

O ------------------------------

N ------------------------------

Colle ton ticket
de métro. Tu l'as
utilisé le -----------

Le sais-tu ?
La Joconde est parisienne depuis 400 ans. Si elle n'est pas au Louvre, c'est qu'elle s'est rendue à une exposition ou parce qu'elle a été volée !

Combien y a-t-il de Parisiens ?
- [ ] 50 246
- [ ] 155 246
- [ ] 2 155 246
- [ ] 6 155 246

Qui suis-je ?
20 000 ampoules m'habillent et je scintille jusqu'à minuit en hiver.
Je suis ------------

Si j'étais... **un oiseau**

Si j'étais... **un rêve**

Si j'étais... **un métier**

Quel est ton livre préféré ? _____
_____

Connais-tu le jeu du portrait chinois ? Remets chaque livre dans sa boîte. Quel est l'intrus ?

2

3

4

5

Victor Hugo raconte *Notre-Dame de Paris*.

Ils s'étendent sur 4 km... Quelle bibliothèque !

Elle survole la Seine, ça me rappelle la mer !

En été, on me recouvre de sable fin !

Les photos ratées

5. --

6. --

7. --

En vidant mes poches... j'ai retrouvé
plein de choses. Mais j'ai raté toutes
mes photos. On reconnaît à peine les
monuments que j'ai pris !
Aide-moi à les retrouver.

Ce que je préfère
à Paris : ....
....
....
....

Les monuments
construits aujourd'hui

C ....
G ....

....

Écris sur
les pointillés.

Qui suis-je ?
Je m'appelle Emmanuel.
Je pèse 1 300 kilos.
Je fais beaucoup
de bruit quand
on me cogne !
Je suis une
....

Qui m'a construit
1. Louis XIV
2. Napoléon Iᵉʳ
3. Charles de Gaulle
....

Bonjour,
Je suis à côté d'une
basilique. On dirait
une grosse meringue,
car elle est toute
blanche. Il paraît
que sa pierre blanchit
quand il pleut ! Devine
son nom ? Simon

Jacques Cœur

Rue Sacrée ....

75018 . Paris

France

C'est ....

....

Mets en couleurs.
Reconnais-tu
les monuments ?

Devinette

Nous sommes 2 500 000. Grâce à nous, 18 000 pièces ont été assemblées et forment un mécano géant. Qu'avons-nous construit ?

....

Rivet

Ce que je déteste
à Paris : ....

....

....

....

Réverbère

Au Moyen Âge, Paris fait peur car ses rues sont noires ! Avant moi, il fallait se contenter du porteur de lanterne. Ce n'était pas très efficace. Heureusement, tout change avec l'invention du gaz. Paris prend alors le nom de " Ville lumière " car je suis partout... dans les avenues et aussi dans les passages. Et quand l'électricité fait son apparition, je change de nom. On m'appelle désormais « lampadaire ».

Vite, je rentre au chaud ! Sur une autre page, j'ai les pieds mouillés !

Retrouve les 7 silhouettes qui font peur !

Aujourd'hui, nous ne sommes plus que 6 700 !
Tous les autres sont modernes.

Un centre commercial !
Le passage est son ancêtre
en beaucoup moins grand
mais en plein centre-ville.

Avant le gaz,
des bougies étaient
placées dans
les lanternes.

**On m'allume
pour la première fois**
dans un passage.

Les pieds sont au sec !
La rue est boueuse car le
trottoir n'existe pas encore.

À l'abri de la pluie,
le passage est une rue
couverte et chauffée.

Encore elle !
Je l'ai déjà vue
quelque part...

Seine

Je traverse Paris, une ville qui n'existerait pas sans moi ! Je l'ai défendue quand elle n'était qu'une île. Je l'ai nourrie de mes poissons. J'ai lavé ses pantalons. Je l'ai construite avec mes bateaux chargés de pierres. J'ai servi de modèle à ses artistes. Aujourd'hui, je promène ses touristes et je rends les Parisiens amoureux. Moi et Paris sommes inséparables !

C'est gratuit !
Tu peux profiter de cette vue depuis le pont des Arts. Il y a 200 ans, on acquittait un péage pour l'emprunter !

AIR FRANCE

Je sers de repère à toutes les rues !
Plus tu es proche de moi, plus le numéro de la rue est petit.

La nef de Paris
Un bateau est représenté sur le blason de Paris, car la ville s'est développée grâce aux bateliers. Maintenant, il y a les bateaux-mouches.

Il y a 7 différences entre ces images inversées. Et la couleur a encore disparu !

PARIS

T

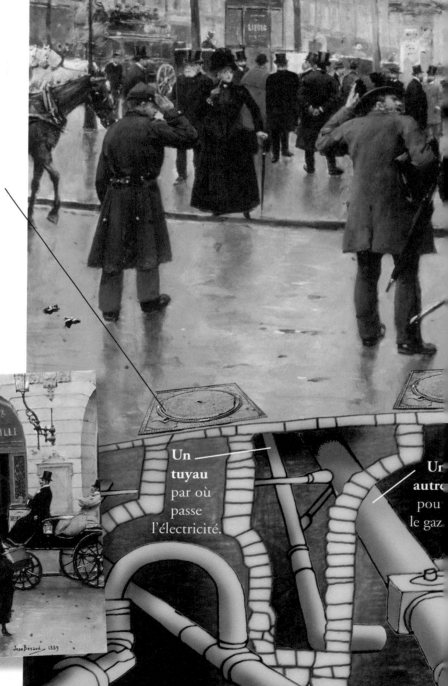

**Grâce à moi,
c'est enfin propre !**
Les saletés s'écoulent
vers mes caniveaux
car le sol de la rue
est légèrement bombé
au milieu.

**26 000 plaques pour
rentrer sous terre !**
Elles s'ouvrent sur les
égouts qui recueillent
les eaux sales de la
rue mais aussi celles
des immeubles.
T'es-tu déjà demandé
où partait l'eau quand
tu tirais la chasse ?

*Aujourd'hui
rien n'a changé
à part 2 choses.
Lesquelles ?*

**Un
tuyau** par où
passe
l'électricité.

**Un
autre** pou
le gaz

Béraud - 1889

t
elui-ci
our le
éléphone.

L'égoutier nettoie les tuyaux.
Il faisait les mêmes gestes il y a 160 ans !

Trottoir

Je suis le refuge des piétons car la rue est très dangereuse. Le feu rouge et « le petit bonhomme qui passe au vert » n'ont pas toujours existé ! Avant, seuls les gens de qualité marchaient en haut du pavé car les détritus se trouvaient au milieu de la rue. Aujourd'hui, tu me piétines quand tu te promènes... mais que connais-tu de mes dessous ? C'est un labyrinthe de tuyaux qui suit le plan de Paris à 5 mètres sous terre !

Trouve les 7 différences avec le tableau.

Ultra…

C'est toujours amusant de trouver des records ! À ton avis, qu'est-ce qui est ultra grand ou ultra petit à Paris ?

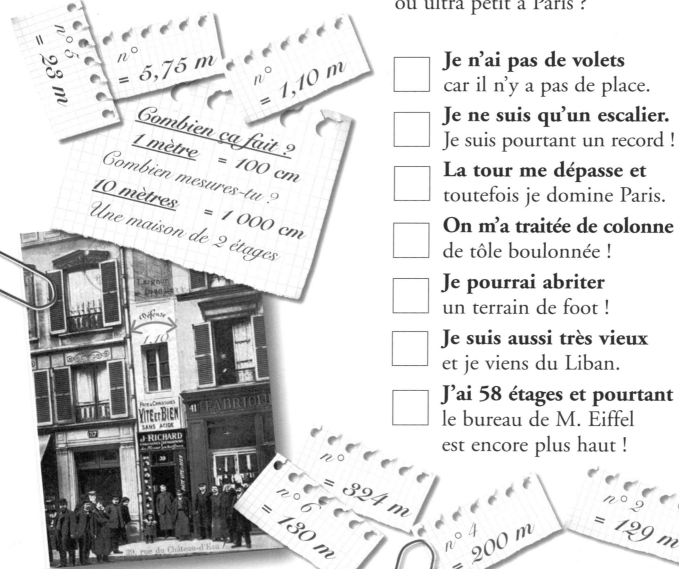

n° 5 = 28 m

n° = 5,75 m

n° = 1,10 m

Combien ça fait ?
1 mètre = 100 cm
Combien mesures-tu ?
10 mètres = 1 000 cm
Une maison de 2 étages

n° = 324 m

n° 6 = 130 m

n° 4 = 200 m

n° 2 = 129 m

- ☐ **Je n'ai pas de volets** car il n'y a pas de place.
- ☐ **Je ne suis qu'un escalier.** Je suis pourtant un record !
- ☐ **La tour me dépasse et** toutefois je domine Paris.
- ☐ **On m'a traitée de colonne** de tôle boulonnée !
- ☐ **Je pourrai abriter** un terrain de foot !
- ☐ **Je suis aussi très vieux** et je viens du Liban.
- ☐ **J'ai 58 étages et pourtant** le bureau de M. Eiffel est encore plus haut !

Sur ce mètre ruban, les centimètres sont à leur taille !

1. La rue la plus courte

2. Le point le plus élevé

3. La maison la plus petite

4. La tour la plus haute

5. L'arbre le plus haut

6. La nef la plus grande

Le « souvenir » est né avec la tour !
Une fois sa construction terminée, des commerçants ont fabriqué des tours miniatures avec les petits bouts de fer qui restaient !

Vrai ou faux ?
Avant la tour était peinte en jaune.

Avec les indices, trouve la bonne réponse.

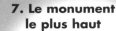

7. Le monument le plus haut

V

Indique sur le plan, dans quel sens coule la Seine.

La statue de la Liberté est née à Paris.

☐ Vrai
☐ Faux

C'est l'endroit le plus élevé de Paris. Pour y grimper, tu peux prendre le funiculaire.

P - - - - - - - - - - -
E - - - - - - - - - - -

T - - - - - - - - - - -
E - - - - - - - - - - -

À toi de compléter par vrai ou faux.

Tu peux lui écrire ! Tu recevras sûrement une réponse.

Vrai La Seine coule depuis le Pont-Neuf vers la tour Eiffel.

☐ On prend un télésiège pour aller sur la butte Montmartre.

☐ La dame de fer est repeinte tous les 7 ans par 25 alpinistes.

☐ Quasimodo adore les grenouilles de Notre-Dame.

☐ Avec un ticket de métro, tu peux presque partir en Chine.

☐ On peut visiter les égouts !

Monsieur le président
de la République
Palais de l'Élysée
75008 Paris

1

16e •

15e •

P - - - - - - - - -
N - - - - - - - - -

Je suis le plus vieux. Si tu veux un indice, rendez-vous sur les ponts.

Il a donné son autorisation pour visiter Paris à 5 m sous terre !

Qui est-ce ?

B_____ du
S_____-C_____

18ᵉ

19ᵉ

L'arrondissement
est indiqué sur les
plaques de rue.

2e Arr.

RUE
de la
PAIX

9ᵉ

10ᵉ

20ᵉ

2ᵉ

1ᵉʳ

3ᵉ

11ᵉ

4ᵉ

6ᵉ

5ᵉ

12ᵉ

14ᵉ

13ᵉ

Paris est découpé en 20 morceaux.
Chacun représente un arrondissement et porte un numéro.
Cette décision a été prise en 1860.
La ville s'est agrandie peu à peu
en absorbant les villages des
alentours. L'arrondissement le plus
petit est le 2ᵉ et le plus grand,
le 15ᵉ. Si tu suis leur numérotation
avec un feutre de couleur, tu vas
dessiner la forme d'un animal.
Lequel ?

Transports
en Ile-de-France

67404209 22

N_____-D_____

Ce ne sont pas
des grenouilles...
mais des gargouilles !

C'est du chinois !
Dans Chinatown,
le mot « abécédaire »
s'écrit de cette façon.

C'est ----------------------
*Un indice : cet animal se
trouve dans le jardin.*

SACRE-COEUR

Wallace

Je m'appelle Wallace, Richard Wallace. Je suis anglais et très riche. Il y a 150 ans, j'ai habité Paris et j'ai offert 50 fontaines à la ville. Aujourd'hui, même si je ne suis plus là, je suis un homme heureux car ces fontaines portent mon nom. Je suis toujours à Paris... mais au cimetière du Père-Lachaise.

Il y avait même des gobelets ! Mais comme ce n'était pas très hygiénique, on les a supprimés !

À toi de trouver les bonnes réponses.

J'ai déjà vu ce monsieur... Où était-ce déjà ?

Aujourd'hui, il y en a 105 dans tout Paris.

1. Fontaine Stravinsky

2. Parc André-Citroën

3. Fontaine des Mers

4. Fontaine du Pot-de-Fer

5. Fontaine Wallace

Aujourd'hui, l'eau coule partout ! Depuis sa source, elle circule dans des tuyaux pour finir sa course en jaillissant dans les fontaines.

☐ **Ce n'est pas de l'eau,** c'est la mer ! Juste à côté, il y a le ministère de la Marine.

☐ **Le lait ou le vin coule** à flots, seulement si c'est une fête comme le sacre du roi !

☐ **De l'eau pour tous !** Ici, c'est tous les jours que l'on boit gratuitement.

☐ **Des figures qui crachent !** Tinguely les a sculptées avec de la vieille ferraille. Son amie Niki a mis des couleurs... qui flashent !

☐ **120 jets jaillissent du sol !** C'est rigolo de se mettre dessus comme dessous !

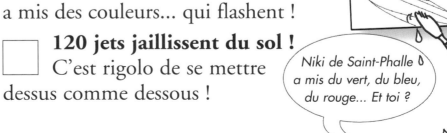

Niki de Saint-Phalle a mis du vert, du bleu, du rouge... Et toi ?

X

Je me présente, je suis Monsieur X.
Je suis comme toi... anonyme.
Dans un village, tout le monde
se connait ; à Paris, non !
Dans la foule, on dit que je suis
« Monsieur tout-le-monde ».
Quand les gens célèbres vont
quelque part, ils créent la cohue.
Moi, je suis noyé dans la foule
et personne ne me regarde !

Eugène Poubelle

Victor Hugo

Victor Hugo

Maximilien Robespierre

Louis Pasteur

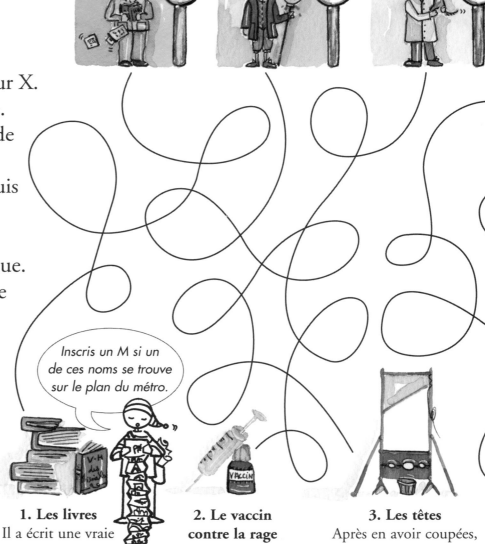

Inscris un M si un de ces noms se trouve sur le plan du métro.

1. Les livres
Il a écrit une vraie bibliothèque.

2. Le vaccin contre la rage
C'est sa découverte.

3. Les têtes
Après en avoir coupées, il a perdu la sienne.

Aristide Boucicault

Antoine Parmentier

Louise Michel

Eugène Poubelle

Victor Hugo : n°
Robespierre : n°
Pasteur : n°
Boucicault : n°
Parmentier : n°
Louise Michel : n°
Poubelle : n°

Monsieur X

Pourquoi ces gens sont-ils devenus aussi célèbres ?

Colle ta photo

Louis Pasteur

4. La seule femme dont le nom soit une station de métro.

5. La poubelle Elle a 120 ans... et lui a pris son nom !

6. Le grand magasin C'est lui qui l'a inventé.

7. La pomme de terre l'a rendu célèbre en France.

Yo-yo

On dit que l'on trouve tout dans les grands magasins. Je ne fais pas de publicité... mais c'est certainement vrai ! Tu me trouveras au rayon jouets. Si tu n'y arrives pas, une des nombreuses vendeuses t'aidera. À Noël, va voir dehors. Avec un peu de chance, tu me verras m'enrouler et me dérouler tout seul car dans les vitrines les jouets sont animés !

Retrouve les 3 paires de boules dans le sapin. Où se cache le yo-yo ?

Les grands magasins
Vastes comme une cathédrale,
on y trouve toutes les nouveautés
aux rayons mode, maison et jouets...
Ils existent depuis plus de 100 ans
et leur invention a inspiré
le monde entier.

Un monument parisien !
Le touriste adore y faire
ses courses et en un coup
d'œil, il voit tout
ce qui se fait à Paris.

Y

Zoo

La ménagerie du Jardin des plantes fut le premier zoo ouvert au public. Les animaux qu'on venait y voir appartenaient à Louis XVI. On les lui a confisqués à la Révolution. Le calme revenu, on compléta les collections jusqu'en 1870. La guerre éclate ; Paris est assiégé : on tue les animaux pour les manger ! Tu peux voir aujourd'hui 1 000 animaux vivants parmi lesquels une formidable légion d'insectes et une armée de reptiles.

Trouve les 7 différences en les 2 bus.

En 1827, on écrivait girafe d'une drôle de façon !

La girafe a 179 ans !
Elle est au Museum d'histoire naturelle qui est juste à côté. Débarquée à Marseille en 1826, elle a traversé la France « à pattes ». Elle aura vécu 18 ans... avant d'être empaillée !

Notre promenade dans Paris s'arrête ici.
Si tu veux revenir à la case départ, prends ce bus. Il te ramènera directement à l'Arc de Triomphe !

A

---- sur 2

1. C'est l'affiche originale. Trouve la différence avec celle qui est en page A.

2. As-tu retrouvé ton chemin place de l'Étoile ?

Réponse : L'affiche a pris les couleurs de la France car Paris en est la capitale.

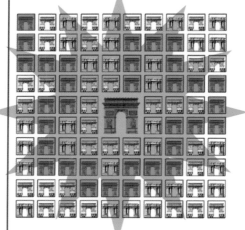

B

---- sur 1

1. Regarde le tableau original. Il y a une différence avec celui qui est reproduit en page B.

Réponse : L'homme qui tient l'équerre a disparu.

Les solutions

Maintenant que tu sais tout sur Paris, nous allons voir si tu es devenu un petit Parisien ! Note le nombre de points que tu as gagnés. Compte 1 point par bonne réponse. Allez c'est parti !

C

---- sur 5

1. Cette affiche est sur la colonne Morris. On la retrouve à la page S.

2. L'échantillon n° 1 appartient à l'obélisque de la Concorde.

3. L'échantillon n° 2 est à la colonne Morris.

4. L'échantillon n° 3 est un morceau de plaque provenant de la colonne Vendôme.

5. L'échantillon n° 4 appartient à la colonne de Juillet qui est place de la Bastille.

D

---- sur 6

1. Je défile 1 fois par an. C'est le défilé militaire (réponse n° 4).

2. Moi c'est 2 fois. C'est le défilé de mode (réponse n° 5).

3. Et moi 4 fois par jour !

C'est le défilé de manifestants. C'est la moyenne par jour (réponse n° 1) !

4. Pour moi c'est exceptionnel ! C'est le défilé de Parisiens. (réponse n° 3).

5. Quant à moi c'est la routine. C'est le défilé de la Garde républicaine (réponse n° 2).

6. Ce garde-là a été transformé en petit soldat ! L'original est sur le tableau de la page T. Cette belle Parisienne est en fait italienne ! Elle est page F.

F

---- sur 3

As-tu retrouvé le chemin des 3 piétons ?

G ---- sur 5

Les 5 éléments qui sont communs aux 2 images sont entourés.
Il sont plus grands dans la vitrine du pâtissier.

H ---- sur 4

1. Le bonsaï est à l'hôtel Ritz. La « maison » de couture de Coco Chanel est rue Cambon, juste à côté du palace (réponse n° 2). Le bonsaï est un arbre miniature.

2. L'adresse de prestige est l'hôtel Matignon. Cet hôtel particulier appartient à l'État français. C'est pour cette raison qu'il porte un drapeau (réponse n° 3).

3. La mairie célèbre est l'hôtel de Ville. Le maire dirige la ville avec les 20 maires de chaque arrondissement. (réponse n° 4).

4. À l'hôtel des Invalides, on soignait les invalides. La réponse était facile ! (réponse n° 1).

I ---- sur 7

Les éléments qui sont communs aux 2 images sont entourés. Compte 1 point par élément trouvé.

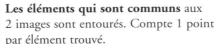

J ---- sur 7

1. As-tu retrouvé ton chemin dans ce jardin à la française où tout semble tracé à la règle ?

2. L'ancienne fabrique de tuiles est à l'origine du mot « Tuileries » (réponse n° 5).

3. Les jardins du Palais-Royal sont royaux comme leur nom l'indique (réponse n° 1).

4. Les plantes étiquetées poussent au Jardin des plantes (réponse n° 2).

5. Tout a été fabriqué au parc des Buttes-Chaumont. Les barrières ressemblent à des branches... et pourtant elles sont faites de béton ! (réponse n° 6).

6. La marque de voitures Citroën a donné son nom à ce parc. C'est à cet endroit qu'était située l'usine (réponse n° 4).

7. Qu'est-ce qui fait « Bzz Bzz » ? Ce sont les abeilles du jardin du Luxembourg ! (réponse n° 3).

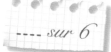

K **---- sur 6**

1. La Seine traverse Paris sur 13 km. Comme il y a 2 berges, tu multiplies par 2 et tu obtiens 26 km (réponse n° 6).

2. Les égouts font 2 100 km. Ils sont nettoyés par 500 égoutiers chaque jour (réponse n° 2).

3. Radio France a 5 km de couloirs. Cette « maison ronde » possède 64 studios pour enregistrer les émissions de radio (réponse n° 1).

4. Les rues ont 1 245 km de chaussées et sont bordées par 2 375 km de trottoirs (réponse n° 3).

5. Le métro compte 212 km de lignes qui passent sous le réseau d'égouts (réponse n° 4).

6. Les 3 arcs sont alignés sur 10 km. L'Arc de Triomphe est au milieu entre le Carrousel et la Grande Arche de la Défense (réponse n° 5).

L **---- sur 1**

1. Je suis composée de 675 losanges, qui suis-je ? La pyramide... bien sûr ! Son verre a été fabriqué spécialement pour être très transparent. Certains disent que « c'est la toiture la plus chère du monde » !

M **---- sur 7**

1. Les 6 touristes qui ont pris le métro sont entourés. Compte 1 point par personnage.

2. Le grillon adore la chaleur du métro et particulièrement sur la ligne n° 9 ! Il se nourrit des déchets laissés par les voyageurs.

N 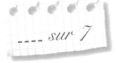 **---- sur 7**

Les 7 différences sont entourées sur l'image. Compte 1 point par élément trouvé. Ce tableau a été peint par Utrillo.

O **---- sur 1**

As-tu retrouvé le chemin tracé par les 4 amis impressionnistes ? Cette toile de Claude Monet s'appelle « Impression, soleil levant ». Ce tableau est à l'origine du mot « impressionnisme ». Tu peux aller le voir au musée Marmottan. As-tu remarqué que le soleil rouge se reflétait de la même façon sur le dessin d'Orsay ?

Manet Bazille Renoir Monet

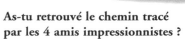

P ---- *sur 6*

1. Le plus vieux pont est le Pont-Neuf... C'est aussi le plus long ! C'est Henri IV qui l'a fait construire (réponse n° 6).

2. Le pont de Bir-Hakeim a 2 étages : un pour le métro et l'autre pour les voitures. Lors du passage à l'an 2000, le métro s'arrêtait au milieu du pont pour que les voyageurs admirent le scintillement de la tour Eiffel (réponse n° 4).

3. Le pont des Arts est le premier pont construit en fer. La plupart des ponts parisiens sont en pierre (réponse n° 2).

4. Le zouave surveille la météo devant le pont de l'Alma (réponse n° 5).

5. Le pont Charles-de-Gaulle est le pont le plus neuf ! Il a été construit pour qu'on se rende plus facilement au ministère des Finances (réponse n° 1).

6. Le pont Alexandre-III est très beau grâce à ses candélabres. Tu retrouves les mêmes sur un pont à Saint-Petersbourg, en Russie (réponse n° 3).

Q ---- *sur 6*

As-tu rangé les livres dans les bonnes boîtes ? Voyons un peu s'il n'y a pas de désordre...

1. Si j'étais un fruit va dans la boîte n° 1.
2. Si j'étais un écrivain va dans la boîte n° 2.
3. Si j'étais un oiseau va dans la boîte n° 4.
4. Si j'étais un rêve va dans la boîte n° 5.
5. Si j'étais un métier va dans la boîte n° 3.
C'était facile car la réponse était donnée.

6. Et l'intrus alors... C'est l'animal. On pourrait dire le chien, par exemple. Il aura sa boîte le jour où il fera ses besoins dans le caniveau !

Il y a 200 000 chiens à Paris et on ramasse 1 000 kg de crottes chaque jour !

R ---- *sur 9*

Les 7 différences sont entourées sur l'image qui a été inversée.

S ---- *sur 7*

Les **7 silhouettes qui font peur** sont entourées et les **2 passantes** ont retrouvé leur tableau. L'image a été inversée.

T ---- *sur 7*

Le tableau a été complètement truqué ! **Les 7 différences** sont entourées sur l'image. Aujourd'hui rien n'a changé... sauf 2 choses : il n'y a plus de chevaux et les gens ne s'habillent plus de cette façon !

U

Sur les bouts de papier de la page, tu peux noter les réponses pour avoir toutes les mesures.

1. La plus petite maison n'a pas de volets car elle fait 1,10 m de largeur (réponse n° 3).

2. La plus petite rue
fait 5,75 m de long.
Elle s'appelle « rue des
degrés » car c'est un escalier (réponse n° 1) !
3. Le point le plus élevé est la butte
Montmartre qui culmine à 129 m. C'est là
que se trouve la basilique du Sacré-Cœur.
C'était difficile (réponse n° 2).
4. Le monument le plus haut est la tour
Eiffel qui mesure 324 m de hauteur. Avant,
elle était peinte en jaune (réponse n° 7) !
5. La plus grande nef est celle de Notre-
Dame qui mesure 130 m de long. Un terrain
de foot en mesure plus de 90 (réponse n° 6).
6. L'arbre le plus haut est un cèdre du
Liban qui a 271 ans et mesure 23 m !
Il est au Jardin des plantes (réponse n° 5).
7. La tour la plus haute
est la tour Montparnasse.
Sa terrasse culmine à 200 m
(réponse n° 4).

V

---- sur 9

Avec ces informations,
tu peux compléter la
carte si tu ne l'as pas fait.
1. Faux. On ne prend pas un télésiège pour
aller sur la butte Montmartre mais un funiculaire. La basilique du Sacré-Cœur est située
dans le 18ᵉ arrondissement.

2. Vrai. La tour Eiffel est repeinte tous les 7
ans par 25 alpinistes. Elle est dans le 7ᵉ.
3. Faux. Ce sont les gargouilles que
Quasimodo adore dans *Notre-Dame de Paris*.
Elle est dans le 4ᵉ sur l'île de la Cité.
4. Vrai. Tu prends la ligne n° 7 vers Mairie
d'Ivry. Chinatown se trouve dans le 13ᵉ.
5. Vrai. Grâce à Haussmann, on peut visiter les égouts. Tu avais un indice sur
le rébus : os + mat + nœud.
6. Sur l'enveloppe, tu as l'adresse du palais
de l'Elysée qui se trouve dans le 8ᵉ. Paris est
la seule ville de France à être un département
(75). Le nombre suivant indique
l'arrondissement (008).
7. La statue de la Liberté a bien été
construite à Paris dans le 17ᵉ. C'est vrai.
8. Le Pont-Neuf est le plus vieux pont
de Paris. Tu le sais déjà. C'était donc
facile de le placer sur la carte !
9. As-tu trouvé l'animal ?
La mascotte qui est à la page J
a un escargot sur le doigt !

W

---- sur 6

1. C'est de l'eau qui coule
de la fontaine des Mers (réponse n° 3).
2. Le lait ou le vin coule de la
fontaine du Pot-de-Fer (réponse n° 4).
3. De l'eau pour tous coule depuis
les fontaines Wallace (réponse n° 5).
4. Des figures qui crachent
de la fontaine Stravinsky. C'est le
nom d'un musicien (réponse n° 1).
5. 120 jets jaillissent du sol
au parc André-Citroën (réponse n° 2).

6. Cet homme très élégant
a quitté la page Q pour
venir se rafraîchir.

X

---- sur 8

Ces gens qui sont devenus célèbres...
1. Victor Hugo est écrivain. *Notre-Dame
de Paris*, c'est lui qui l'a écrit (réponse n° 1) !
2. Robespierre est un homme politique
qui a inspiré la Terreur. Il est mort guillotiné
(réponse n° 3).
3. Pasteur est un biologiste qui a trouvé
le vaccin contre la rage (réponse n° 2).
4. Boucicault a fondé le grand magasin
« Au Bon Marché » (réponse n° 6).
5. Parmentier a fait découvrir la pomme de
terre et le hachis parmentier (réponse n° 7) !
6. Louise Michel doit se sentir bien seule
dans le métro ! C'est la seule femme qui ait
donné son nom à une station (réponse n° 4).
7. Poubelle. Ce monsieur a inventé un objet
bien utile (réponse n° 5).
8. Sur le plan du métro, tu ne trouveras
aucune station au nom de « Poubelle » !

Y

---- sur 4

Tu gagnes 1 point
par paire de
boules et pour
le yoyo aussi.

Le dépliant

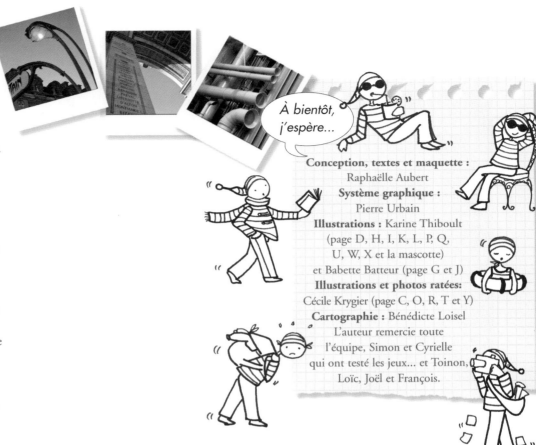

As-tu reconnu les monuments qui sont représentés sur les photos ?

Photo n° 1 : centre Georges Pompidou.
Photo n° 2 : l'horloge du musée d'Orsay.
Photo n° 3 : la rose de Notre-Dame.
Photo n° 4 : les rivets de la tour Eiffel.
Photo n° 5 : une voûte de l'Arc de Triomphe.
Photo n° 6 : un réverbère du métro.
Photo n° 7 : la pyramide du Louvre.

As-tu reconnu ce que tu as colorié ? Sur la page de gauche, tu as dû mettre du marron sur la tour Eiffel et du jaune sur Notre-Dame. Tu peux prendre comme modèle les images des « Qui suis-je ? ». Sur la page de droite, c'est l'Opéra et l'Arc de Triomphe. Il y a aussi des exemples dans le livre. As-tu colorié les immeubles haussmanniens et le ciel ? Là, c'est toi qui décides.

1. Les paires de bonbons ont chacune une couleur. L'intrus est donc le bonbon violet.

2. Les monuments construits avant Haussmann : l'Arc de Triomphe, l'obélisque de la Concorde et Notre-Dame.

À bientôt, j'espère...

Conception, textes et maquette :
Raphaëlle Aubert
Système graphique :
Pierre Urbain
Illustrations : Karine Thiboult
(page D, H, I, K, L, P, Q,
U, W, X et la mascotte)
et Babette Batteur (page G et J)
Illustrations et photos ratées :
Cécile Krygier (page C, O, R, T et Y)
Cartographie : Bénédicte Loisel
L'auteur remercie toute
l'équipe, Simon et Cyrielle
qui ont testé les jeux... et Toinon,
Loïc, Joël et François.

Il y a 7 différences. Regarde sur l'image. C'était facile.

---- sur 7

3. Le rébus : eau + P + rat. Il s'agit de l'avenue de l'Opéra.

4. Les Parisiens sont 2 155 246.

5. Qui suis-je ? C'est la tour Eiffel qui scintille jusqu'à minuit.

6. Devinette Les rivets assemblent les 18 000 pièces de la tour Eiffel.

7. Qui suis-je ? C'est une cloche.

8. Qui m'a construit ? C'est Napoléon Ier.

9. Les monuments construits aujourd'hui : le centre Georges Pompidou, la Grande Arche, la pyramide du Louvre...

10. La carte postale : la réponse est la basilique du Sacré-Cœur.

Dépôt légal : mai 2005. ISBN : 2-84096-394-9.

Loi nº 49-956 du 16 juillet 1949 sur les publications destinées à la jeunesse.

Achevé d'imprimer en avril 2005 sur les presses de l'imprimerie Escourbiac, à Graulhet.